Mae'r llyfr hwn yn eiddo i

....

Dwi'n ddarllenwr a dathlais Diwrnod y Llyfr 2024
â'r rhodd hon o fy siop lyfrau leol a Llyfrau Rily

DIWRNOD Y LLYFR

Cenhadaeth Diwrnod y Llyfr yw cynnig cyfle i bob plentyn a pherson
ifanc ddarllen a charu llyfrau, drwy roi cyfle i chi gael eich llyfr eich hun.

I gael gwybod mwy, ac i weld y gweithgareddau difyr, straeon ar fideo,
llyfrau llafar ac argymhellion am lyfrau, ewch i worldbookday.com

Elusen sy'n cael ei noddi gan National Book Tokens yw Diwrnod y Llyfr.

RILY

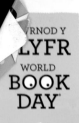

Diwrnod y Llyfr
Hapus!

Ar ôl i ti ddarllen y llyfr hwn, does dim angen i'r hwyl ddod i ben. Cei di ei gyfnewid, siarad amdano gyda ffrind, neu ei ddarllen eto!

Beth hoffet ti ei ddarllen nesaf? Os wyt ti am ddarllen comig, llyfr llafar, llyfr ryseitiau neu lyfr ffeithiol, gelli di fynd i'r ysgol, i'r llyfrgell leol neu i'r siop lyfrau agosaf i gael dy lyfr nesaf – bydd rhywun bob amser yn barod i helpu.

Newid bywydau drwy gariad at lyfrau a darllen.

NODDIR GAN /
SPONSORED BY

NÁTIONAL
BOOK
tokens

Mae Diwrnod y Llyfr yn elusen a noddir gan National Book Tokens. Mae Llywodraeth Cymru yn cefnogi'r ymgyrch yng Nghymru.

ILLUSTRATED BY VIVIAN TRUONG

FFEITHIAU FFIAIDD

Y CORFF

GAN KEV PAYNE

ADDASIAD
MARI GEORGE

RILY

Cynhyrchwyd i DK gan Collaborate Agency
Awdur a darlunydd Kev Payne
Ymgynghorydd Dr Bipasha Choudhury
Golygydd Abi Luscombe
Uwch olygydd Celf Elle Ward
Rheolwr-olygydd Laura Gilbert
Cydlynudd y siaced Isobel Walsh
Rheolwr cyhoeddi Francesca Young
Uwch olygydd cynhyrchu Rob Dunn
Uwch rheolwr cynhyrchu Inderjit Bhullar
Dirprwy gyfarwyddwr celf Mabel Chan
Cyfarwyddwr cyhoeddi Sarah Larter

Cyhoeddwyd gan Rily Publications 2024
Rily Publications Ltd, Blwch Post 257, Caerffili CF83 9FL

Hawlfraint yr addasiad © Rily Publications Ltd 2024
Addasiad gan Mari George

Seiliwyd y cyhoeddiad hwn ar yr addasiad gwreiddiol:
Y Corff Rhyfedd a Rhyfeddol, 2022.
Cyhoeddwyd yn gyntaf yn 2021 dan y teitl
Gross and Ghastly Human Body, gan Dorling Kindersley Limited
One Embassy Gardens, 8 Viaduct Gardens, London, SW11 7AY
Hawlfraint © 2021 Dorling Kindersley Limited
Cwmni Penguin Random House

Mae Diwrnod y Llyfr® a'r logo cysylltiedig yn nodau masnach
cofrestredig World Book Day® Limited.

Rhif elusen gofrestredig 1079257 (Cymru a Lloegr).
Rhif cwmni cofrestredig 03783095 (DU).

Mae cofnod catalog CPI ar gyfer y llyfr hwn ar gael o'r Llyfrgell Brydeinig.

ISBN: 978-1-80416-387-0

Mae'r cyhoeddwr yn cydnabod cefnogaeth
ariannol Cyngor Llyfrau Cymru.

rily.co.uk
www.dk.com

I Dad, am danio fy niddordeb
ym mhob ffaith ffiaidd!

Diolch arbennig i Lauren am ei
gwaith rhyfeddol ar y dyluniadau.

~ K.P.

CYNNWYS

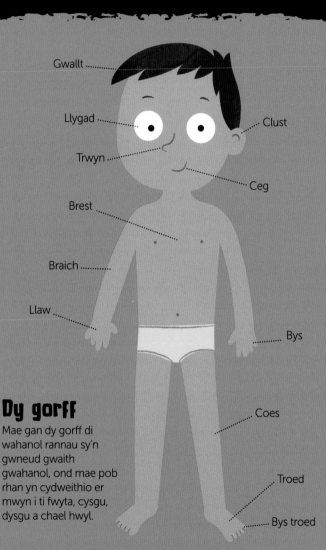

Gwallt

Llygad

Clust

Trwyn

Ceg

Brest

Braich

Llaw

Bys

Dy gorff

Mae gan dy gorff di wahanol rannau sy'n gwneud gwaith gwahanol, ond mae pob rhan yn cydweithio er mwyn i ti fwyta, cysgu, dysgu a chael hwyl.

Coes

Troed

Bys troed

4

Chwydu, gwneud pw, chwysu, a gwneud pi-pi – mae systemau yn ein cyrff sy'n helpu pethau i weithio'n rhwydd. Os dynni di'r croen yn ôl fe weli di bopeth sydd tu mewn!

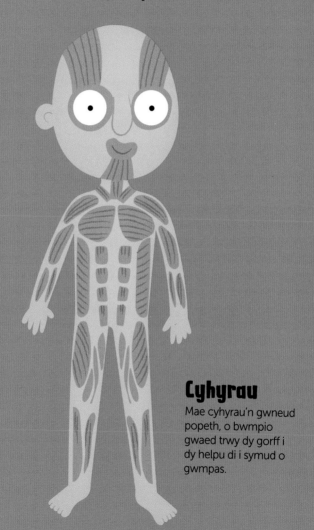

Cyhyrau

Mae cyhyrau'n gwneud popeth, o bwmpio gwaed trwy dy gorff i dy helpu di i symud o gwmpas.

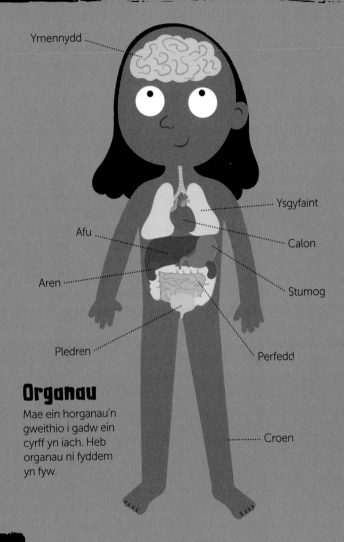

Ymennydd

Ysgyfaint

Afu

Calon

Aren

Stumog

Pledren

Perfedd

Croen

Organau

Mae ein horganau'n gweithio i gadw ein cyrff yn iach. Heb organau ni fyddem yn fyw.

O dan y cyhyrau mae nifer fawr o organau i'w gweld. Twria'n ddwfn ac fe ddoi di at dy sgerbwd.

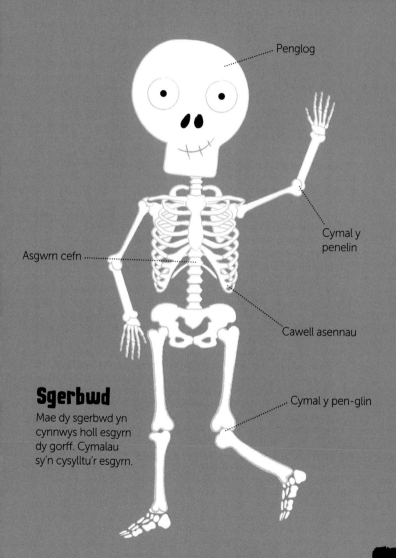

Penglog

Cymal y penelin

Asgwrn cefn

Cawell asennau

Cymal y pen-glin

Sgerbwd

Mae dy sgerbwd yn cynnwys holl esgyrn dy gorff. Cymalau sy'n cysylltu'r esgyrn.

POBL A'U PW!

Pw yw'r gwastraff sydd ar ôl wedi i ti dreulio dy fwyd ac amsugno'r maeth i dy gorff. Mae ansawdd, arogl a golwg dy bw yn newid yn ôl dy ddeiet a dy ffordd o fyw. Dyma ffeithiau am bw.

Darganfuwyd yr hyn a gredir yw'r pw dynol ffosiledig mwyaf yn y byd gan archaeolegwyr ym 1972. Mae'n 20 centimetr (8 modfedd) o hyd!!

Pam mai brown yw lliw pw?

Mae pw'n wyrdd i ddechrau ond mae'n newid i frown wrth basio trwy dy gorff. Gall dy bw fod yn lliwiau eraill, fel gwyrdd, melyn, coch, gwyn neu ddu. Mae'n dibynnu ar beth wyt ti wedi ei fwyta, a pha mor iach wyt ti.

8

Arnofio

Mae ambell bw'n gwrthod mynd ar ôl i ti fflysio'r tŷ bach ac yn mynnu arnofio. Os fwyti di rywbeth sy'n creu gwynt ychwanegol, gall hyn achosi i'r pw godi i wyneb y dŵr.

Paent pw

Yn ôl y sôn, defnyddiodd yr artist enwog, Pablo Picasso ychydig o bw ei ferch yn un o'i luniau. Fe'i defnyddiodd i baentio afal.

PI-PI PAWB

Pisio, pasio dŵr neu bi-pi – beth bynnag rwyt ti'n ei alw, mae'n gymysgedd o ddŵr, halen a chemegau. Mae pi-pi, a gaiff ei greu yn yr arennau a'i storio yn y bledren, yn tynnu pethau diangen o dy waed. Beth am blymio mewn i'r môr o ffeithiau am bi-pi!

Pwy sydd eisiau bath?

Mae'r rhan fwyaf ohonom yn pasio dŵr rhwng chwech ac wyth gwaith y dydd. Ond gall yfed llawer o hylif, neu gymryd rhai meddyginiaethau wneud i ti fynd yn amlach. Mae person yn cynhyrchu tua 1.5 litr y dydd (2.6 peint) – digon i lenwi bath bob mis!

Diferyn o liw

Gall lliw ac arogl dy bi-pi ddibynnu ar nifer o bethau, fel yr hyn rwyt ti wedi ei fwyta, faint rwyt ti wedi yfed, a dy iechyd yn gyffredinol. Mae'r lliw fel arfer yn felyn golau, ond gall pi-pi fod yn wyrdd, oren neu las. Gall bwyta betys droi dy bi-pi'n binc!

Siapia hi, mae fy ffôn bron â marw.

Mae ymchwilwyr wedi dod o hyd i ffordd o droi pi-pi yn drydan. Ar hyn o bryd gellir ei ddefnyddio i roi pŵer i ffonau clyfar neu olau, ond mae tîm o ymchwilwyr yn datblygu ffyrdd o'i ddefnyddio i roi pŵer i geir trydan.

Beth sydd yn y pwll nofio?

Mae clorin yn gemegyn sy'n cael ei roi mewn pyllau nofio i helpu amddiffyn y dŵr rhag germau, ac mae'r arogl yn un cyfarwydd. Ond mewn gwirionedd, mae'r arogl yn dod o adwaith gemegol y clorin gydag olew, chwys a pi-pi y bobl yn y pwll.

CLEFYDAU CYFOGLYD

Mae clefydau'n rhwystro rhannau o'r corff rhag gweithio'n iawn. Mae canoedd o glefydau yn y byd a gellir trin rhai ohonyn nhw gyda meddyginiaeth. Dyma rai o'r clefydau mwyaf cyfoglyd y mae natur wedi eu creu.

Clefyd sy'n bwyta cnawd

Mae llid madreddol y ffasgell yn haint peryglus, prin iawn sy'n gallu niweidio a dinistrio croen, braster a meinwe yn gyflym iawn. Mae'n lledaenu'n gyflym ac yn fygythiad i fywyd. Gellir ei drin gyda gwrthfiotigau os caiff ei ddal yn gynnar ond weithiau rhaid torri breichiau neu goesau i achub bywyd person.

Clefyd Gwaed

Mae malaria'n glefyd heintus a achosir yn bennaf gan fosgitos sy'n ei ledaenu pan maen nhw'n cnoi pobl. Gall rai pobl gael malaria'n ysgafn ac eraill ei gael yn fwy difrifol. Gall derbyn triniaeth gywir helpu i wella'r clefyd ond mae malaria'n dal yn gyfrifol am 500,000 o farwolaethau'r flwyddyn drwy'r byd.

Clefyd Llynghyren Gini

Caiff clefyd llynghyren gini ei achosi gan yfed dŵr sy'n cynnwys larfau llynghyren gini. Caiff yr wyau eu lledaenu gan chwain. Nid oes symptomau cychwynnol ond, ar ôl blwyddyn, gallai'r cleifion ddatblygu twymyn a chwydd. Yna mae'r mwydod yn dod allan trwy bothelli poenus ar y croen.

TREULIO BWYD

Wrth dreulio bwyd mae ein cyrff yn torri a rhannu bwyd a diod fel ein bod yn cael maeth ac egni. Mae'r system dreulio'n mynd yr holl ffordd o'n ceg i'n pen ôl. Felly p'un ai wyt ti'n bwyta moron neu siocled, bydd y cwbl yn mynd i'r un lle yn y diwedd!

Stwff cryf

Mae'r asid yn ein stumog yn gorfod bod yn gryf iawn i dorri a rhannu'r holl fwyd yr ydym yn ei roi yn ein cegau! Caiff asidau eu mesur gan ddefnyddio lefelau PH sy'n mynd o 0 i 14, a 0 yw'r cryfaf. Mae asidau ein stumogau'n amrywio o 1 i 3 – digon pwerus i ddinistrio metel.

Gan fod leinin ein stumog yn cael ei ddyrnu o hyd gan asidau, mae ein cyrff yn creu leinin newydd bob diwrnod neu ddau. Mae wedi ei wneud o fwcws sy'n debyg i'r stwff sy'n llifo o'n trwynau!

30 troedfedd o berfedd

Mae ein perfedd (y tiwbiau sy'n mynd o'n stumog i'n pen ôl) wedi eu gwasgu'n daclus i'n cyrff. Pe byddem yn eu hymestyn yn un llinell syth, bydden nhw'n rhyw 9 metr o hyd (bron i 30 troedfedd). Tua'r un hyd â bws bach!

Taith i'r toiled

Mae'r amser mae'n ei gymryd i dreulio dy fwyd yn dibynnu ar beth rwyt ti wedi ei fwyta. Unwaith mae'r bwyd wedi ei chwalu a'i lyncu, gallai hi gymryd rhwng dau a phum diwrnod cyn i ti ei weld eto yn dy bw.

DAN DRAED

Does rhyfedd bod traed yn drewi ac yn chwysu – maen nhw'n gweithio'n galed i gynnal yr holl gorff. Maen nhw'n dal chwarter holl esgyrn ein corff, ac fel olion bysedd, mae olion bysedd ein traed yn unigryw i ni gyd hefyd.

Arogl caws!

Weithiau mae pobl yn dweud bod traed yn drewi o gaws oherwydd y frwcsach gludiog sydd arnyn nhw. Yn Iwerddon yn 2013, cynhaliwyd arddangosfa o gaws go iawn wedi ei wneud o'r bacteria a gasglwyd rhwng bysedd traed pobl.

Traed Tew

Mae traed babi'n llawer mwy hyblyg na rhai oedolion, oherwydd nad yw esgyrn y traed wedi datblygu eto. Mae traed yn parhau i dyfu tan eich harddegau. Mae traed babis yn annwyl oherwydd bod y darn tew ar fwa'r droed yn gwneud iddyn nhw edrych yn grwn a chiwt. Mae'r darn tew yn diflannu unwaith i gyhyrau'r droed ddechrau datblygu.

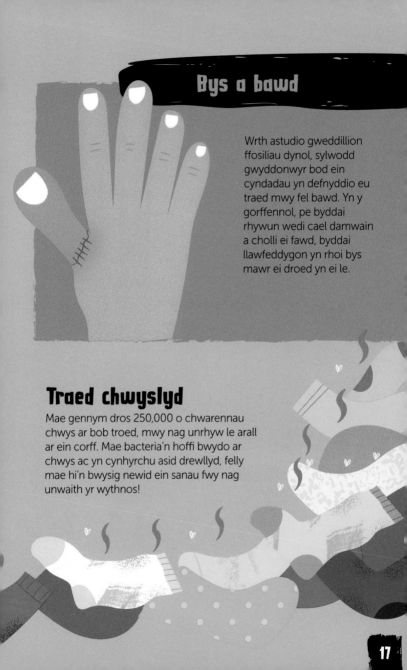

Wrth astudio gweddillion ffosiliau dynol, sylwodd gwyddonwyr bod ein cyndadau yn defnyddio eu traed mwy fel bawd. Yn y gorffennol, pe byddai rhywun wedi cael damwain a cholli ei fawd, byddai llawfeddygon yn rhoi bys mawr ei droed yn ei le.

Traed chwyslyd

Mae gennym dros 250,000 o chwarennau chwys ar bob troed, mwy nag unrhyw le arall ar ein corff. Mae bacteria'n hoffi bwydo ar chwys ac yn cynhyrchu asid drewllyd, felly mae hi'n bwysig newid ein sanau fwy nag unwaith yr wythnos!

CHWYS OER

Chwys yw ffordd y corff o gael gwared ar wlybaniaeth wrth ein hoeri ni. Pan rydym yn rhy boeth, mae'r chwys yn anweddu ar ein croen gan helpu i ostwng ein tymheredd. Mae wedi ei wneud yn bennaf o ddŵr ond mae hefyd yn cynnwys halen a chemegau eraill.

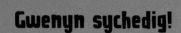

Gwenyn sychedig!

Mae gwenynen chwys yn cael ei denu at chwys pobl ac mae hyd yn oed yn ei yfed. Yr ymateb naturiol ydy taro'r gwenyn i ffwrdd ond gallai hyn eu hachosi i bigo. Os gwnei di grio, efallai y gwnaiff y gwenyn yfed dy ddagrau di hefyd!

Chwys drewllyd

Nid yw chwys ar ei ben ei hun yn drewi ond mae arogl yn cael ei gynhyrchu pan fydd yn adweithio gyda'r bacteria ar ein croen. Mae chwarennau chwys dros yr holl gorff, hyd yn oed yr amrannau.

Mae faint rwyt ti'n chwysu'n dibynnu ar nifer o ffactorau, fel dy oed, dy iechyd ac a wyt ti'n symud o gwmpas llawer neu beidio. Yn ystod awr o ymarfer corff, mae pobl yn chwysu tua 0.5 litr (0.9 peint) ond gall fod yn gymaint â 3 litr (5.3 peint).

Chwys llysieuol!

Casglwyd samplau o chwys gan bobl oedd yn llysieuwyr a'u cymharu gyda'r rheini oedd yn bwyta cig. Yna gofynnwyd i bobl arogli'r chwys a phenderfynu pa un oedd â'r arogl gorau. Dangosodd y canlyniadau bod chwys llysieuol lawer iawn yn fwy apelgar.

Gall chwysu llawer wneud i ti deimlo'n sych y tu mewn, felly sicrha dy fod yn yfed digon o ddŵr.

CHWYDU

Chwydu yw ffordd y corff o geisio cael gwared ar rywbeth sy'n niweidiol neu annifyr. Gall fod yn broses normal a defnyddiol ond annymunol. Mae sawl rheswm dros chwydu, gan gynnwys gwenwyn bwyd, germau, neu hyd yn oed fynd yn rhy gyflym ar reid yn y ffair!

Cymysgedd

Mae chwd, neu gyfog, yn cynnwys cymysgedd o fwyd sydd wedi hanner ei dreulio, cemegau, a suddion stumog. Mae pobl yn aml yn rhyfeddu bod darnau o foron yn eu chwd hyd yn oed os nad ydynt wedi eu bwyta. Mae gwyddonwyr yn credu mai darnau o leinin y stumog yw'r rhain.

Ydy hwnna'n glir?

Gwyn, melyn, gwyrdd neu oren – gall lliw dy chwd ddibynnu ar nifer o ffactorau, gan gynnwys beth rwyt ti wedi ei fwyta a ph'un ai oes salwch arnat – a pha salwch ydyw. Mae chwd clir fel arfer yn dod ar ôl i ti chwydu nifer o weithiau a does dim rhagor o fwyd yn dy stumog.

Dan y chwdwydr

Bydd yr heddlu'n astudio chwd os yw wedi ei adael ar safle o drosedd oherwydd gallai gynnwys gwybodaeth ddefnyddiol ynglŷn â'r hyn sydd wedi digwydd, neu am bwy sy'n gyfrifol. Gellir tynnu DNA o'r chwd, a'i gydweddu â'r troseddwr.

Ffrwydrad!

Mae chwydu ffrwydrol yn digwydd pan fydd person yn chwydu mewn pyliau byr, â llawer o rym. Mae arbrofion wedi dangos y gellir dod o hyd i ddafnau o chwd ffrwydrol dros 7 metr (23 troedfedd) i ffwrdd oddi wrth y person sy'n chwydu – mae hynny mor bell â hyd bws mini!

LLYSNAFEDD AFIACH

Llysnafedd, snot, baw trwyn – mae'r cwbl yr un peth, ac mae i'w weld yn hongian allan neu tu mewn i dy drwyn. Mae llysnafedd ym mhobman!

Pigo

Mae gan rai pobl yr arferiad erchyll o fwyta llysnafedd o'u trwyn. Mae llysnafedd yn dal bacteria a feirysau allai fod wedi mynd mewn i'r corff, felly dyw ei fwyta ddim yn syniad da o gwbwl.

Bwydlen y trwyn

Gall bwyta rhai bwydydd gynyddu neu leihau faint o lysnafedd yr wyt yn ei gynhyrchu. Gall menyn, hufen iâ, caws ac wyau achosi mwy o lysnafedd. Ond mae pinafal, pysgod a tsili yn gweithio i'r gwrthwyneb.

Enfys o lysnafedd

Nid yw llysnafedd bob amser yn wyrdd. Gei di lysnafedd du os wyt ti wedi bod yn anadlu llawer o huddygl neu lwch, gall hylif melyn fod yn arwydd o haint ac mae hyd yn oed bacteria ar gael sy'n troi dy snot yn las!

Arian brwnt

Yn 2008, ar ôl ymddangos ar raglen deledu lle chwythodd hi ei thrwyn, gwerthodd yr actores Scarlett Johansson yr hances mewn ocsiwn i elusen. Talodd y prynwr dros $5,000 amdano.

Bydd rhaid i ti roi $5,000 i mi cyn 'mod i'n cyffwrdd yn hwnna!

BETH AM Y BACTERIA?

Gall bacteria fod yn ddefnyddiol ac yn niweidiol i'n cyrff. Er enghraifft, gall bacteria da ein helpu i dreulio ein bwyd, ond gall bacteria gwael roi poen bol i ni. Mae bacteria yn ficro-organedd, sy'n golygu bod angen meicrosgop arnoch i'w weld.

Rhifau mawr

Mae ein cegau yn gartref i gymaint â chwe miliwn o fathau o facteria – mae hynny bron gymaint â'r nifer o bobl ar y Ddaear. Mae pob math o facteria'n mynd trwy gylchrediad o gael ei eni, ei fwydo, bridio a marw.

Mae'r celloedd dynol yn ennill!

Bacteria mewn carthion

Mae llawer iawn o facteria'n byw arnon ni gyd. Mae gan berson tua'r un faint o gelloedd dynol a chelloedd bacterol. Gallwn golli hyd at un rhan o dair o'n bacteria yn ein carthion.

Bacteria Botwm Bol

Yn 2011, yn ystod astudiaeth o facteria oedd yn byw mewn botymau bol, gwnaeth ymchwilwyr ddarganfyddiadau rhyfeddol. Darganfuon nhw facteria anarferol ar y rhai oedd yn cymryd rhan, gan gynnwys bacteria o bridd yn Japan ar ddyn oedd erioed wedi bod yno, ac roedd gan rywun arall facteria o'r iâ ym mhegwn y gogledd a'r de!

Does gen i dim syniad sut gyrhaeddodd hwnna fanna.

Cau'r caead

Mae llawer o facteria niweidiol yn ein pw. Mae'n well fflysio ar ôl cau'r caead neu fe allet ledaenu cwmwl anweledig o facteria gwael i'r aer – mor uchel a 4.6 metr (15 troedfedd). Mae hynny bron mor dal â jiráff! Gall y bacteria fyw am amser hir ar gownteri, tywelion a hyd yn oed dy frwsh dannedd.

CESEILIAU CAS

Mae ein ceseiliau o dan rhan uchaf y fraich, ger yr ysgwydd, ac maen nhw ymysg y rhannau mwyaf cynnes ar ein cyrff. Maent yn cynnwys llawer o chwarennau chwys.

Arogleuon

Mae ceseiliau drewllyd yn cael eu hachosi gan facteria'n bwydo oddi ar chwys. Os yw'r arogl yn troi'n broblem wael, mae'n bosibl i feddygon gymryd bacteria gan rywun sydd ddim yn drewi a'i drosglwyddo i geseiliau rhywun sydd yn drewi.

Cesail

Talent tawel?

Yn 2013, cyrhaeddodd Erich Henze o Detroit y newyddion yn America ar ôl cael ei wahardd rhag perfformio yn sioe dalent yr ysgol. Ei 'dalent' oedd gwneud sŵn rhech gyda'i geseiliau, coesau, gwddf a chlustiau.

Arogl unigryw

Gallwch ddewis cuddio arogl chwys drwy ddefnyddio diaroglyddion. Mae'r rhai mwyaf poblogaidd yn gymysgwch o olewon, blodau a pherlysiau ond mae arogleuon unigryw ar gael, fel bacwn a pizza!

Mmm, bacwn!

Trwyn da

Edrych am yrfa newydd? Efallai mai swydd fel aroglwr ceseiliau yw'r un ddelfrydol i ti! Mae aroglwyr ceseiliau'n gweithio i gwmnïoedd diaroglyddion, gan dreulio eu hamser yn arogli hyd at 60 cesail yr awr i weld pa gynnyrch fydd yn dda ar gyfer y farchnad.

TORRI RECORD Y BYD

Mae'r corff dynol yn gallu gwneud pethau rhyfeddol, ond mae rhai'n hoffi ei wthio i'r eithaf. Dyma rai o'r enghreifftiau rhyfeddaf.

Mwstásh mawr

Mae gan Ram Singh Chauhan o India fwstásh hiraf y byd. Mae ei fwstásh dros 4.29 metr (14 troedfedd), mae hynny tua'r un hyd ag eliffant! Mae Chauhan wedi bod yn tyfu ei fwstásh am dros 40 mlynedd.

Torri gwynt!

Paul Hunn, a elwir hefyd yn "The Burper King", yw'r dyn sy'n gallu torri gwynt fwyaf swnllyd yn y byd.

Cofrestrwyd ei fod wedi torri gwynt ar 109.9 desibel, sy'n uwch na hwfer, dril trydan a hyd yn oed beic modur. Ei hoffter o ddiodydd pefriog sy'n gyfrifol yn ôl Hunn.

Agoriad llygad

Ilker Yilmaz o Dwrci sy'n dal y record am bellter chwystrelli llaeth o'i lygad. Ar gyfer yr ymgais, ffroenodd Yilmaz y llaeth i fyny ei drwyn cyn ei saethu gymaint â 279.5 centimetr (9 troedfedd, 2 fodfedd) o'i lygad chwith. Mae hynny'n hyd tri troli siopa o un pen i'r llall!

Fyny, fyny, saethu.

Dim tafod!

Mae gan Nick "The Lick" Stoeberl o California yn America, y tafod dynol hiraf yn y byd. Mae'n 10.1 centimetr (3.9 modfedd) o hyd. Mae'r tafod arferol yn 8.5 centimetr (3.3 modfedd). Yn 2016, ymddangosodd Stoeberl ar y rhaglen deledu *America's Got Talent* lle baentiodd lun gan ddefnyddio ei dafod enfawr.

Hei!

CRACHOD CRAWNIOG

Mae'n siŵr dy fod wedi gweld crachen neu ddwy ar dy gorff o bryd i'w gilydd. Mae crachod yn ymddangos ar ein croen ar ôl i ni gael cwt neu grafiad. Dyma ffordd y corff o amddiffyn ei hun rhag germau, tra bod croen newydd yn ffurfio oddi tano.

Pigo dy fwyd

Mae crachod fel arfer yn syrthio i ffwrdd ar ôl wythnos neu ddwy. Ond mae rhai pobl yn cael eu temptio i bigo a hyd yn oed bwyta eu crachod. Galla hyn achosi i'r clwyf waedu eto neu adael craith. Gall bwyta crachen roi ychydig o brotin i ti ond byddi di'n llyncu llawer o germau a baw hefyd.

Creu cramen

Unwaith mae'r croen wedi ei niweidio, mae celloedd arbennig y gwaed, sef platennau'n brysio at y clwyf ac yn glynu at ei gilydd. Mae'r platennau'n gweithio i greu crachen sy'n caledi wrth iddi sychu.

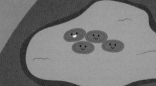

Llifo

Weithiau gall cramen felen ymddangos ar ymylon crachen. Mae hyn yn arwydd bod crawn, sef yr hylif mae dy gorff yn ei greu wrth ymladd haint, yn ffurfio oddi tano. Weithiau bydd craciau'n ymddangos yn y grachen a bydd y crawn yn llifo allan.

Mae crawn yn gymysgedd o gelloedd gwaed wedi marw, bacteria byw neu farw a meinwe.

AM FABI!

Ciwt ac annwyl, neu swnllyd a drewllyd? Mae babis yn rhyfedd, fel y gweddill ohonom! Mae angen gofal arbennig a llawer o gwtsio ar fabis – hyd yn oed pan mae eu cewynnau'n ddrewllyd. Dyma rai ffeithiau rhyfeddol am fabis!

Ambell asgwrn!

Mae gan fabis fwy o esgyrn nag oedolion – tua 300 i gyd. Mae'r esgyrn wedi eu gwneud yn bennaf o gartilag sef defnydd hyblyg sydd fel rwber. Maen nhw'n uno ac yn caledi er mwyn ffurfio'r 206 asgwrn sydd gan oedolyn.

Babi del

Ydych chi erioed wedi dyfalu pam fod babis yn ddel â'u llygaid mawr? Mae hynny oherwydd bod llygaid babi bron mor fawr â rhai oedolyn! Gall lliw'r llygaid newid, hefyd, fel arfer o gwmpas chwe mis ond hyd yn oed mor hen â thair oed.

Oeddet ti'n gwybod bod babis yn cael eu geni â'r gallu i nofio!

Pw cyntaf

O fewn 24 i 48 awr o gael eu geni, bydd babis yn gwneud eu pw cyntaf, sydd yn drwchus ac ychydig bach fel tar. Ar ôl tua thri diwrnod, bydd y pw yn newid lliw i frown golau, melyn, neu hyd yn oed wyrdd, a bydd o ansawdd tebyg i fenyn pysgnau.

Trysor cudd

Wrth archwilio'r byd a'u cyrff eu hunain, mae babis a phlant bach yn aml yn rhoi pethau yn eu clustiau neu eu trwynau. Mae meddygon yn gorfod tynnu pethau fel pys, marblis, botymau a gleiniau. Darganfuodd meddygon yn Tsieina un plentyn gyda dant y llew yn tyfu allan o'i glust.

RHAID RHECHAIN

Proses o waredu aer trwy'r pen ôl yw rhechu. Mae rhai'n dawel, rhai'n swnllyd ond un peth sy'n siŵr – maen nhw i gyd yn dod o'r un lle!

Beth sydd mewn rhech?

Nid oes arogl ar y rhan fwyaf o'r rhech ac mae'n cynnwys 99 y cant o nwyon diarogl. Mae'r 1 y cant olaf yn cynnwys nwyon drewllyd gwahanol, gan gynnwys sylffwr a dyma beth sy'n creu'r drewdod.

Gwynt grymus

Ar gyfartaledd, rydym yn rhechain tua 14 gwaith mewn diwrnod. Rydym yn cynhyrchu 0.5 litr (1.2 peint) y dydd, digon i lenwi balŵn.

Llenwais i hwn i gyd fy hunan!

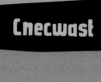

Mae rhai bwydydd *yn* gwneud i chi rechain yn fwy ac mae'r rhain yn cynnwys ffacbys, winwns, bresych, ysgewyll a blodfresych. Yn ôl ymchwilwyr, mae bananas, tatws a grawnfwydydd yn helpu i leihau'r arogl.

Mae dyfeisiwr yn Ffrainc yn honni ei fod wedi creu pilsen sy'n gwneud i rechfeydd arogli fel siocled!

Cnecion enwogion

Mae rhai pobl yn rhecain am eu bywoliaeth. Mae'r rhain yn cynnwys Mr Methane o'r DU, sy'n rhechain i gerddoriaeth; Le Petomane o Ffrainc, oedd yn gallu diffodd canhwyllau gyda'i rechod; a Roland the Farter, digrifwr o'r 12fed ganrif oedd yn diddanu'r Brenin Hari'r II drwy rechain iddo bob Nadolig.

YN Y GWAED

Mae gwaed yn cynnwys plasma, celloedd gwaed gwyn, celloedd gwaed coch a phlatennau. Bob tro mae ein calonnau'n curo, mae gwaed yn cael ei bwmpio drwy ein corff. Mae'r gwaed yn cario maeth ac ocsigen i'n celloedd cyn dychwelyd i'n calonnau.

O gwmpas y byd

Caiff gwaed ei gario o gwmpas ein cyrff trwy gyfres o diwbiau o'r enw gwaedlestri. Mae dau fath o waedlestr: rhydwelïau a gwythiennau. Pe byddech yn gosod yr holl waedlestri hyn mewn llinell byddai'n ymestyn i 96,561 kilometr (60,000 milltir) – digon i fynd o gwmpas y byd o leiaf ddwy waith.

Mae lliw coch ein gwaed yn dod o brotin o'r enw haemoglobin sy'n casglu ocsigen yn yr ysgyfaint. Mae ein gwaed hefyd yn cynnwys haearn a phlasma lliw melyn sydd fel aur i'r corff.

Curiad calon

Y curiad calon cyfartalog wrth ymlacio i oedolyn yw rhwng 60 a 100 curiad y funud ond mae hyn yn dibynnu ar oed a ffitrwydd. Mewn cymhariaeth, mae calon llygoden yn curo ar dros 500 curiad y funud tra bod un eliffant yn 30 curiad y funud yn unig. Gallai hyn gynyddu pe byddai'r eliffant yn gweld llygoden yn rhedeg o gwmpas ei draed!

MAWREDD MODDION

Mae moddion yn helpu pobl i ymladd salwch neu eu rhwystro rhag mynd yn sâl yn y lle cyntaf. Mae meddygon yn meddwl yn ofalus wrth ddewis moddion i helpu pobl sâl. Mae meddyginiaeth newydd yn cael ei dyfeisio drwy'r amser ac mae meddygon a gwyddonwyr yn darganfod ffyrdd newydd o'n cadw ni'n iach o hyd.

Salwch rhyfedd

Wrth ddewis moddion, rhaid i feddygon ystyried beth allai fod yn achosi'r salwch. Yn Tsieina, aeth dyn 37 oed i'r ysbyty gyda pheswch gwael a phroblemau anadlu. Sylweddolodd y meddygon bod haint wedi ei achosi gan y ffaith bod y dyn yn arogli ei sanau llawn ffwng ar ddiwedd pob dydd.

Blas cas

Nid yw'r cynhwysion gaiff eu defnyddio i helpu moddion i wneud ei waith bob amser yn blasu'n neis. Nid yw plant fel arfer yn hoffi moddion am fod y blasau fel arfer yn hallt a chwerw, ac mae plant yn fwy sensitif i'r rhain.

Mae'n well i rai cleifion fod yn cysgu ar gyfer rhai llawdriniaethau, ond nid bob amser. Yn ystod llawdriniaeth ar ei hymennydd, canodd y cerddor proffesiynol Dagmar Turner y feiolin fel bod llawfeddygon yn gallu sicrhau nad oedd y rhannau o'r ymennydd sydd eu hangen i ganu'r offeryn yn cael eu niweidio. Defnyddion nhw foddion i sicrhau nad oedd hi'n teimlo poen.

Bravo! Gwych!

Llwydni'n gwneud lles

Mae penisilin yn foddion gwrthfiotig a gaiff ei ddefnyddio i drin ystod o heintiau. Cafodd ei ddarganfod drwy ddamwain yn 1928 gan Alexander Fleming a ddaeth nôl i'w labordy o'i wyliau a gweld bod llwydni'n lladd peth o'r bacteria'r oedd wedi bod yn tyfu. Cyn iddo gael yr enw penisilin yn 1929 roedd yn adnabyddus fel "sudd llwydni".

Mmm, torri syched!

MALU CACHU ETO!

Mae pw yn bwnc diddorol. Mae pawb yn ei wneud! A gallwn ni ddim roi'r gorau i siarad amdano.

Pa mor hir

Amcangyfrifir bod y pw hiraf yn mesur 7.92 metr (26 troedfedd) o hyd. Roedd y fenyw gynhyrchodd y pw enfawr yn bwyta deiet oedd yn uchel mewn ffibr ac ni aeth hi i'r tŷ bach am wythnos o flaen llaw.

Tin tanllyd

Gall bwydydd poeth wneud i dy ben ôl deimlo fel pe bai ar dân pan ei di i'r tŷ bach. Mae'r twll yn dy ben ôl wedi ei orchuddio â chelloedd sensitif, yn debyg i'r rhai yn dy geg, felly gall fod yr un mor boeth ar y ffordd allan ag ar y ffordd i mewn.

40

Ar dân

Yn Kenya, mae cwmni yn defnyddio blociau cywasgedig o bw dynol yn lle siarcol a thân coed. Mae defnyddio gwastraff dynol yn helpu i achub coed rhag cael eu torri. Mae'r pw yn mynd trwy broses sy'n gwneud y tanwydd yn ddiarogl – diolch byth.

Syrpréis!

Os wyt ti wedi bwyta india-corn erioed, efallai i ti sylwi sut mae'n ymddangos eto yn dy garthion. Mae hyn yn digwydd am fod haenen allanol yr india-corn wedi ei wneud o seliwlos, rhywbeth nad yw ein cyrff yn gallu ei dreulio. Fodd bynnag, gallwn dreulio'r rhan fewnol felly yr hyn a welwn yw'r croen allanol.

ESGYRN DAFYDD

Fel oedolion, mae gennym 206 o esgyrn yn ein cyrff. O'n helpu i symud i amddiffyn ein organau pwysig, mae esgyrn yn ein helpu i wneud gweithgareddau bob dydd. Heb esgyrn fyddai dim llawer o siâp arnom ac ni fyddem yn gallu cerdded, rhedeg na chodi'r llyfr yma i ddarllen yr holl ffeithiau ych-a-fi!

Ffatri waed

Er eu bod yn edrych yn gryf a chaled, mewn gwirionedd mae esgyrn yn diwbiau gwag yn llawn meinwe sydd fel sbwng a elwir yn fêr yr esgyrn. Mae mêr yr esgyrn hefyd yn gyfrifol am greu ein gwaed! Mae'n cynhyrchu pob math o gelloedd gwaed sydd eu hangen ar ein cyrff ac yn gwneud miliynau ohonyn nhw bob dydd!

Newydd sbon

Mae corff oedolyn yn gwaredu hen ddarnau o esgyrn ac yn creu meinwe esgyrn newydd yn eu lle. Ar ôl deng mlynedd bydd gennym sgerbwd newydd sbon.

Yn Saesneg, yr enw arno yw "funny bone" ond os wyt ti erioed wedi ei daro, fyddi di'n cytuno nad yw'r asgwrn y penelin yn ddoniol. Nid yw chwaith yn asgwrn! Mae'r teimlad pigog a gawn yn dod o nerf yn ein braich sy'n saethu lawr i flaenau'n bysedd.

Torri record

Mae'r styntiwr Evel Knievel yn dal y record am dorri'r mwyaf o esgyrn yn ystod ei yrfa. Roedd Knievel yn neidio'n gyson ar ei feic modur dros geir, bysys, nadroedd rhuglo a llewod – ond weithiau roedd yn cael damweiniau – a arweiniodd at dorri ei esgyrn 433 o weithiau dros nifer o flynyddoedd. Un tro fe dorrodd ei ddwy fraich wrth ymarfer neidio dros danc llawn o siarcod.

CWESTIYNAU LLETCHWITH

Pwy? Beth? Ble? Pryd? Pam? Sut? Mae ein byd yn llawn cwestiynau a dyma'r atebion i rai o'r cwestiynau afiach allai fod ar flaen dy dafod!

Pam mae chwd yn llosgi fy llwnc pan dwi'n chwydu?

Mae'r asidau yn ein system draul yn chwalu a threulio ein bwyd. Pan fyddwn yn chwydu, daw'r blas chwerw a sur yn ein ceg o'r asidau hyn.

Alli di wneud cannwyll allan o gwyr clustiau?

Na. Caiff canhwyllau arferol eu gwneud o baraffin neu gwyr gwenyn sy'n llosgi'n araf. Mae cwyr clustiau'n llosgi'n gyflym ac yn gwneud sŵn craclo. Yn sgil y celloedd croen marw, gwallt ac asidau brasterog ni fyddai'n toddi nac yn llosgi'n ddigon cyson ar gyfer cannwyll.

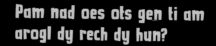

Pam nad oes ots gen ti am arogl dy rech dy hun?

Ydy dy ffrindiau a dy deulu'n tagu ac yn anelu am y ffenestri? Y rheswm nad wyt ti'n teimlo'r un ffordd ydy am fod dy gorff di'n gyfarwydd â dy arogleuon dy hun. Dangosodd profion ein bod hyd yn oed yn hoffi arogl ein rhechod ein hunain oherwydd bod yr arogl yn unigryw i ni.

Ydy llau gwely wir yn cnoi?

Ydyn. Mae llau gwely'n cuddio yn ystod y dydd, cyn cael eu temptio allan yn y nos i fwyta. Maen nhw tua'r un maint â hedyn afal ac mae ganddyn nhw gyrff gwastad cyn iddyn nhw fwyta. Gallan nhw sugno hyd at saith gwaith eu pwysau eu hunain mewn gwaed sy'n eu gadael yn dewach o lawer na phan ddechreuon nhw fwyta.

45

SYNHWYRAU SILI

Mae ein synhwyrau'n ein helpu i ddeall y byd tu allan. Mae pum prif synnwyr sef "synhwyrau arbennig", ond mae gwyddonwyr yn credu bod gennym hyd at 21! Mae'r synhwyrau ychwanegol yn cynnwys synnwyr o ofod a chydbwysedd. Caea dy lygaid a symuda dy freichiau o gwmpas. Byddi di'n synhwyro ble mae dy freichiau.

Blasu

Mae gan berson arferol tua 10,000 o flasbwyntiau. Os dynni di dy dafod allan fe weli di nhw ar ffurf lympiau bach mân. Mae blasbwyntiau'n ein helpu i flasu'r pum blas – hallt, chwerw, sur, melys ac umami, sef pa mor sawrus yw'r blas.

Golwg

Rydym yn "gweld" pethau wyneb i waered. Mae'r llygad yn anfon negeseuon i'r ymennydd, sy'n troi'r llun y ffordd gywir. Credir bod babis bach yn gweld pethau wyneb i waered tan bod yr ymennydd yn dysgu sut i droi popeth y ffordd gywir.

Cyffyrddiad

Mae ein synnwyr cyffwrdd yn ein helpu i ymateb yn gyflym i wahanol sefyllfaoedd. Os rydym yn sefyll ar wrthrych miniog, mae angen synnwyr cyffwrdd arnom i ymateb yn gyflym. Gall y negeuson hyn fynd o'r droed i'r ymennydd ar gyflymdra o 160 kilometr yr awr (100 milltir yr awr)!

Arogl

Beth yw dy hoff arogl? Wyt ti'n gwybod dy fod yn gallu arogli os yw rhywun yn hapus? Mae ymchwilwyr wedi darganfod ein bod yn rhyddhau arwyddion arogl sy'n dangos ystod o emosiynau, gan gynnwys hapusrwydd, ffieidd-ddod, ac ofn.

Ti'n gwynto'n ... grac?

Clyw

Mae'r cwmni technoleg Microsoft wedi adeiladu'r "lle tawelaf ar y Ddaear". Mae'n siambr arbennig lle mae lefel y sŵn wedi ei fesur ychydig dros 20 desibel. Er mwyn cymharu, mae sibrydiad yn 30 desibel, ac mae ein hanadlu yn 10 desibel.

SIART PW

Gall pw fod yn ddiferol, lympiog neu lyfn, a gall ddweud llawer am dy iechyd. Ddiwedd y 1990au, datblygodd arbenigwyr yn Ysbyty Brenhinol Bryste siart i ddisgrifio'r holl wahanol fathau o bw.

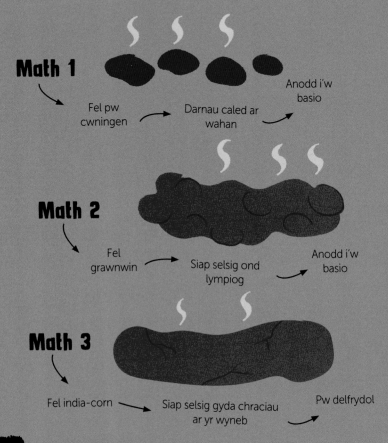

Math 1

Fel pw cwningen → Darnau caled ar wahan → Anodd i'w basio

Math 2

Fel grawnwin → Siap selsig ond lympiog → Anodd i'w basio

Math 3

Fel india-corn → Siap selsig gyda chraciau ar yr wyneb → Pw delfrydol

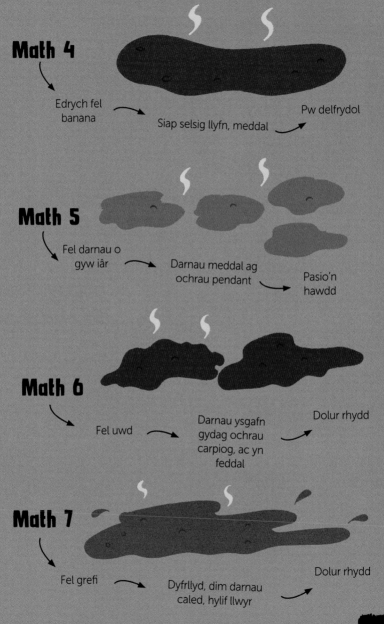

Math 4

Edrych fel banana → Siap selsig llyfn, meddal → Pw delfrydol

Math 5

Fel darnau o gyw iâr → Darnau meddal ag ochrau pendant → Pasio'n hawdd

Math 6

Fel uwd → Darnau ysgafn gydag ochrau carpiog, ac yn feddal → Dolur rhydd

Math 7

Fel grefi → Dyfrllyd, dim darnau caled, hylif llwyr → Dolur rhydd

Defnyddia dy fys i baru rhannau'r corff gyda'u lleoliad yn y llun

1 **Aren**

2 **Afu**

3 **Stumog**

4 **Calon**

5 **Ymennydd**

6 **Ysgyfaint**

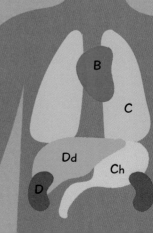

A

B

C

Dd

Ch

D

Alli di baru enwau'r organau gyda'u disgrifiadau byr? Defnyddia dy fys.

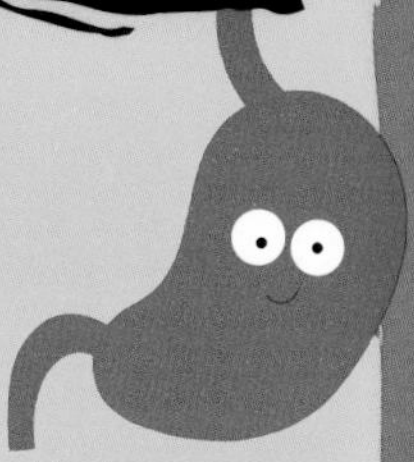

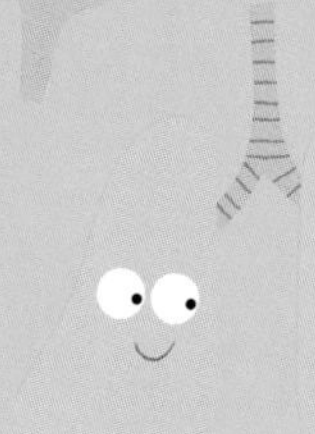

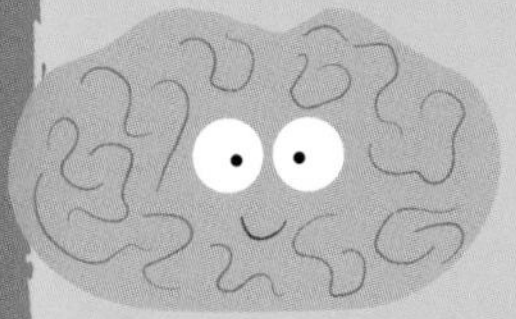

PA ORGANAU?

1 **Pledren**

2 **Stumog**

3 **Ysgyfaint**

4 **Calon**

5 **Ymennydd**

6 **Croen**

A Dwi'n dy orchuddio

B Dwi'n llenwi â pi-pi

C Rwyt ti fy angen i anadlu

Ch Dwi'n pwmpio gwaed o gwmpas y corff

D Dwi'n treulio dy fwyd

Dd Dwi'n rheoli popeth

1 Mae'r pw dynol ffosiledig mwyaf yn y byd yn 1.5 metr o hyd.

2 Mae corff oedolyn yn creu sgerbwd newydd pob 10 mlynedd.

3 Mae'n bosib creu cannwyll wrth ddefnyddio cwyr clustiau.

4 Rydym yn rhechain digon o nwy mewn diwrnod i lenwi balŵn.

5 Mae mwstásh hiraf y byd yn 40 metr (131 troedfedd).

Alli di ddod o hyd i ffordd drwy ddrysfa'r ymennydd? Defnyddia dy fys i ddilyn y llwybr i'r diwedd.

DRYSFA'R YMENNYDD

Dechrau

Diwedd

TWYLL LLYGAID

Edrycha'n ofalus ar y twyll llygaid hwn. Beth weli di?

1

Pa sgwariau sydd fwyaf — y rhai du neu wyn?

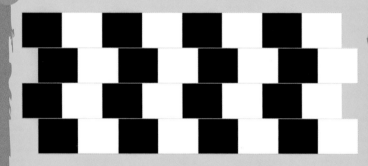

2   Pa fwa sydd fwyaf?

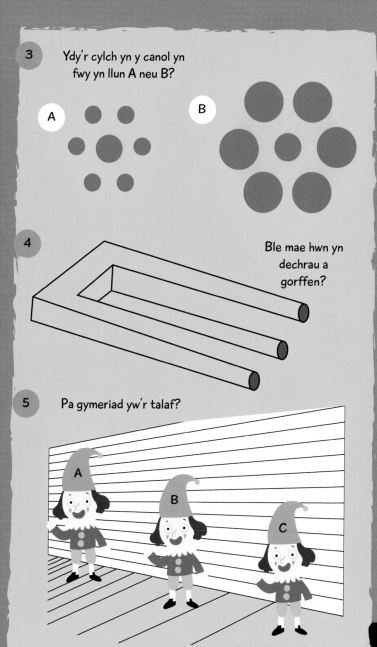

3 Ydy'r cylch yn y canol yn fwy yn llun A neu B?

A

B

4 Ble mae hwn yn dechrau a gorffen?

5 Pa gymeriad yw'r talaf?

A

B

C

AMSER YMATEB

Darllena ran gyntaf pob stori isod ac yna pwyntia at yr wyneb a fyddai'n disgrifio dy ymateb orau. Yna darllena'r ail ran. Wyt ti'n dewis wyneb gwahanol ar ôl darllen yr ail ran?

Nest ti ollwng dy ginio ar y llawr ...

Bresych oer a llysnafedd wedi ffrio oedd dy ginio.

Rwyt ti yn dy barti pen-blwydd ...

Mae rhywun wedi bwyta'r fisged olaf roeddet ti'n ei llygadu.

Mae gen ti bâr o esgidiau rhedeg newydd ...

Ond rwyt ti newydd sefyll mewn baw ci.

Rwyt ti newydd dderbyn gwaith cartref ychwanegol ...

I drio gêm gyfrifiadur newydd.

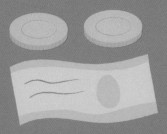

Enillaist ti arian mewn cystadleuaeth ...

Cystadleuaeth 'Rhech fwyaf ddrewllyd y byd.'

Hapus

Wedi ffieiddio

Trist

Crac

Wedi cyffroi

Beth am greu dy straeon dy hunan nawr a chwarae gyda ffrind?

Alli di weld y 10 gwahaniaeth rhwng y lluniau hyn? Pwyntia atyn nhw gyda dy fys!

CWIS DIWEDD Y LLYFR

Rwyt ti wedi darllen y llyfr, nawr beth am weld pa ffeithiau rhyfedd a rhyfeddol rwyt ti wedi eu dysgu!

1 Beth yw hyd y tafod dynol hiraf yn y byd?

   A   3cm

   B   7.9cm

   C   10.1cm

   Ch 13.6cm

2 Pa liw yw plasma?

   A   Melyn

   B   Coch

   C   Gwyrdd

   Ch Glas gyda smotiau pinc

3 Tua faint o esgyrn sydd gan fabis

   A   18

   B   150

   C   206

   Ch 300

4 Pa mor hir fyddai ein perfedd wrth gael eu hymestyn yn un llinell syth?

   A   1 metr

   B   9 metr

   C   30 metr

   Ch 15000 metr

5 Beth all babis wneud ar ôl cael eu geni? (tud 33)

   A   Rhedeg marathon

   B   Cerdded

   C   Nofio

   Ch Dringo coeden

ATEBION

Ble maen nhw'n mynd?

1=D, 2=Dd, 3=Ch, 4=B, 5=A, 6=C

Pa organ

1=B, 2=D, 3=C, 4=Ch, 5=Dd, 6=A

Gwir neu Gau

1 = GAU! Mae'r pw dynol ffosiledig mwyaf yn y byd yn mesur 20 cm o hyd!

2 = GWIR! Mae corff oedolyn yn gwaredu hen ddarnau o esgyrn ac yn creu meinwe esgyrn newydd yn eu lle.

3 = GAU! Caiff canhwyllau arferol eu gwneud o baraffin neu gwyr gwenyn.

4 = GWIR! Ar gyfartaledd rydym yn rhechain 14 gwaith y dydd.

5 = GAU! Mae'n 4 metr (13 troedfedd) o hyd.

Drysfa ymennydd

Twyll llygaid

1 = Mae'r ddau yr un peth!

2 = Mae'r ddau yr un peth!

3 = Mae'r ddau yr un peth!

4 = Does dim dechrau na diwedd.

5 = Maen nhw i gyd yr un peth!

Beth yw'r gwahaniaeth?

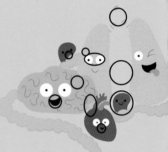

Cwis diwedd y llyfr!

1 = C, 10.1cm

2 = A, Melyn

3 = Ch, 300

4 = B, 9 metr

5 = C, Nofio

LLYFRAU ERAILL
I'W MWYNHAU

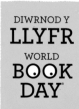

Diwrnod y Llyfr
Hapus!

Pan fydd plant yn **dewis darllen** yn eu hamser hamdden mae'n gwneud iddyn nhw:

Deimlo'n hapusach	Ddarllen yn well	Fod yn fwy llwyddiannus

Helpwch y plant yn eich bywydau
i **ddewis darllen** drwy:

1. Ddarllen iddyn nhw
2. Gael llyfrau gartref
3. Adael iddyn nhw ddewis yr hyn y maen nhw am ei ddarllen
4. Eu helpu i ddewis yr hyn y maen nhw am ei ddarllen
5. Wneud amser ar gyf er darllen
6. Wneud darllen yn hwyl!

NODDIR GAN /
SPONSORED BY

**Newid bywydau drwy
gariad at lyfrau a darllen.**

Mae Diwrnod y Llyfr yn elusen a noddir
gan National Book Tokens.
Mae Llywodraeth Cymru yn cefnogi'r
ymgyrch yng Nghymru.

ILLUSTRATED BY VIVIAN TRUONG